C Sp Asch
ch, Frank
aton del senor Maxwell /
99

WITHDRAWN

3 4028 09623 7277
HARRIS COUNTY PUBLIC LIBRARY

W9-AMO-585

El ratón del señor Maxwell

ESCRITO POR

ILUSTRADO POR

Frank Asch

Devin Asch

EDITORIAL JUVENTUD

© texto: Frank Asch, 2004

© ilustraciones: Devin Asch, 2004

Publicado con el acuerdo de Kids Can Press Ltd, Toronto, Canadá

Título original: Mr. Maxwell's Mouse

Queda rigurosamente prohibida, sin la autorización escrita
de los titulares del copyright, bajo las sanciones establecidas
por las leyes, la reproducción parcial o total de esta obra
por cualquier medio o procedimiento, comprendidos
la reprografía y el tratamiento informático,
y la distribución de ejemplares mediante alquiler
o préstamo públicos.

© de la traducción española:
EDITORIAL JUVENTUD, S. A.
Provença, 101 - 08029 Barcelona
info@editorialjuventud.es
www.editorialjuventud.es
Traducción de Raquel Solà García
Primera edición, 2004
Déposito legal: B. 47.498-2004
ISBN: 84-261-3432-7
Núm. de edición de E. J.: 10.506
GRAFO, Avda. Cervantes, 51 - 48970 Basauri (Bizkaia)
Made in Spain

A Ada y Zoe
— F. A. y D. A.

Aquel día, como de costumbre, el señor Horacio Maxwell entró en el restaurante La Garra Afilada, y Claudio, el maître, le dio la bienvenida.

–Buenas tardes, señor –dijo Claudio con una elegante reverencia.

–Buenas tardes, desde luego –contestó el señor Maxwell–. No sucede todos los días que me asciendan a vicedirector de Control de Eficiencia en Tomás, Benítez y Gómez.

–Mi más sincera enhorabuena, señor –dijo Claudio, y acompañó al señor Maxwell a su mesa.

El señor Maxwell era el cliente más asiduo de La Garra Afilada. Cinco días a la semana, lloviese o hiciese sol, llegaba exactamente a las 12:45, se sentaba en la misma mesa, la que estaba junto a las macetas de cintas, y pedía ratón al horno para almorzar.

Pero aquel día pidió la carta.

–Primero tomaré una ensalada mixta –anunció, repiqueteando sus bien cuidadas uñas en el brazo de su silla–. Y ratón crudo de plato principal.

–Excelente elección, señor. ¿Desea que lo matemos por usted? –preguntó Claudio.

–No será necesario –dijo el señor Maxwell, pensando que deberían regar las plantas–. Sólo asegúrese de que sea fresco y esté sano.

–Todos nuestros ratones son frescos y están sanos. ¡Y además son de buena crianza y educados! –afirmó Claudio.

–Estoy seguro de ello –dijo el señor Maxwell, y cerró la carta haciendo una graciosa floritura.

Mientras el señor Maxwell comía la ensalada, se regodeaba pensando en su ascenso.

«Me pregunto si mi nueva oficina tendrá un ventanal con vistas. Y sería estupendo si también hubiese un sofá donde los clientes pudiesen sentarse a esperar que les atendiera...», cavilaba.

Claudio llegó con el segundo plato cuando el señor Maxwell ya terminaba la ensalada.

—Su plato, señor —dijo Claudio.

—En el momento preciso —ronroneó el señor Maxwell—. ¡Ya me gustaría que alguno de nuestros empleados fuese la mitad de eficiente!

Claudio levantó la tapa de la bandeja.

El plato principal del señor Maxwell estaba echado sobre una tostada de pan de centeno, como si estuviese tomando el sol en la playa.

—Buenas tardes, señor —dijo el ratón.

Al señor Maxwell se le hizo la boca agua. «Buenas tardes, desde luego», pensó él.

–¿No va a añadir un poco de sal? –chilló el ratón cuando el señor Maxwell cogía el cuchillo y el tenedor.

El señor Maxwell hacía mucho tiempo que no trataba con un ratón vivo y no estaba acostumbrado a hablar con sus comidas.

–Ah..., sí..., gracias –contestó él.

El ratón sintió que caía una fina lluvia de cristales de sal sobre su piel y luego que le picaba la nariz.

–¡Achís!

El ratón vio que el señor Maxwell, además de sal, le estaba echando pimienta.

–¡Achís! ¡Achís! ¡Achís! –el ratón estornudó hasta que ya no quedó pimienta en su nariz.

–¡Salud! –dijo el señor Maxwell.

–Gracias –contestó el ratón–. Es un gran consuelo saber que estoy sirviendo a un cliente tan cortés.

El señor Maxwell apreció el cumplido, pero no dijo nada más. Su madre siempre le había aconsejado que no confraternizase con su comida.

El señor Maxwell volvió a alzar el cuchillo y el tenedor.

–Si me permite el atrevimiento... –dijo el ratón cuando el señor Maxwell iba a cortar su carne–. ¿Podría pedirle un pequeño favor?

–Depende –contestó el señor Maxwell, mientras presionaba el tenedor con más firmeza sobre la piel del ratón.

–Me preguntaba si no le importaría rezar antes de que usted... empiece –explicó el ratón–. En casa siempre rezamos una oración antes de las comidas.

–Lo siento, pero no soy en absoluto religioso –contestó el señor Maxwell.

–Oh, le ruego que me disculpe, espero que no le haya molestado que se lo pidiese –dijo el ratón.

–En absoluto. ¿Alguna cosa más? –preguntó el señor Maxwell.

–Bueno..., realmente..., pues sí –repuso el ratón mientras miraba por encima del borde del plato hacia la copa de vino vacía–. Siempre pensé que cuando me llegase el turno de ser..., ejem..., comido, me degustarían con una buena copa de vino.

–Siento decepcionarte, pero aunque hoy me hayan ascendido y sea un motivo más que suficiente para una celebración, nunca bebo vino en el almuerzo –repuso el señor Maxwell, y al instante sintió haberle explicado al ratón lo de su ascenso.

–Enhorabuena por su buena suerte, señor. Estoy seguro de que desempeñará magníficamente bien su nuevo cargo. Quizá algún día incluso llegue a presidente de su empresa –dijo el ratón.

–En tu lugar, no me preocuparía de eso ahora –dijo el señor Maxwell. Y para sí pensó: «¡Vaya un ratón más charlatán! Espero que no se me indigeste».

–Por cierto, ¿le importaría si rezo una oración por mí? –dijo el ratón.

El señor Maxwell estuvo tentado de finalizar la conversación con una rápida estocada, pero retiró el cuchillo.

–Una oración es razonable, pero que sea breve. Sólo tengo una hora y media para almorzar.

–Será muy breve –dijo el ratón, apartando con suavidad el tenedor–. ¿Le importa si me arrodillo?

–Por mí, como si quieres hacer el pino –bufó el señor Maxwell–. Espero que no estés pensando en la manera de escapar. Este restaurante está lleno de gatos. Aunque salieses disparado como una bala, no llegarías ni a mitad de camino a la puerta.

–¡Al parecer usted nunca ha degustado una comida tan bien criada como yo! –el ratón se irritó–. Permítame asegurarle, señor, que no deseo en absoluto escapar a mi destino.

El ratón se arrodilló junto a la ya fría tostada de pan de centeno, y al señor Maxwell le recordó un gatito rezando sus oraciones antes de ir a dormir.

–Señor –empezó el ratón–, gracias por la sana educación que he recibido y el gran honor de alimentar a este elegante caballero. Gracias por los amigos tan maravillosos que he conocido mientras esperaba mi turno en la despensa para servir a la gatunidad. Por favor, bendice a Melisa, Perla, Vera, Paco y especialmente al pequeño Alberto, quien desea que le hagas engordar un poco para no tener que esperar demasiado su turno. Les echaré de menos a todos. Y por favor, bendice a mi querida madre y a mi padre, y a mis numerosos hermanos y hermanas, donde quiera que se encuentren, vivos o muertos. ¡Todos fueron tan buenos conmigo! –De pronto el ratón, muy afectado dejó escapar una pequeña lágrima por el rabillo del ojo. Como si se avergonzase de esta muestra de emoción, terminó súbitamente su oración con un rápido–: ¡Ratiamén!

Despacio y con gran dignidad el ratón subió otra vez a la tostada y anunció que ya estaba a punto.

En aquel momento, Claudio se acercó y preguntó:

–¿Todo va bien, señor?

–Sí, Claudio, todo va bien. Pero quizá, finalmente, tomaré un vaso de vino con mi ratón –contestó el señor Maxwell.

–¡Por supuesto, señor! Aquí tiene nuestra carta de vinos –dijo Claudio.

–He oído que este año el Beaujolais es excepcional, pero vergonzosamente caro –opinó el ratón–. Por lo tanto, permítame sugerirle uno de los exquisitos vinos del Rin: cualquiera entre los años 78 y 85, aunque no el del 83. Aquel año produjo una cosecha de uvas muy amargas. A menos que prefiera vino blanco con el ratón, entonces sería muy apropiado un chardonnay.

–Esta sería exactamente mi recomendación. ¿No le dije que nuestros ratones son los mejores? –dijo Claudio.

–Impresionante. Tráigame el Beaujolais –dijo el señor Maxwell.

El señor Maxwell suspiró, bajó la vista y se quedó mirando a su ratón en silencio durante unos minutos.

–Sé lo que está pensando –dijo el ratón.

–¿De veras? –contestó el señor Maxwell.

–Está pensando si debería haber escogido un vino del Rin –dijo el ratón.

–En realidad estaba pensando si debería haberle pedido al camarero que te matase él por mí –repuso el señor Maxwell.

–¡Oh, lo siento muchísimo! Veo que me he excedido y me he convertido en algo más personal para usted. El chef nos advirtió muchísimas veces que no lo hiciésemos. En lugar de hacer que su almuerzo sea más placentero, se lo he puesto más difícil. Por favor, le ruego que me disculpe. Para mí tampoco es fácil, comprenda usted –exclamó el ratón.

–No es culpa tuya –aseguró el señor Maxwell.

–Tan sólo es que hacía mucho tiempo que no pedía ratón vivo y...

–Entonces debería pedir ayuda al camarero –insistió el ratón.

En aquel momento, Claudio regresó con el vino.

–¿Desea alguna cosa más el señor? –preguntó.

–No, gracias, Claudio –dijo el señor Maxwell.

Cuando Claudio se retiró, el ratón dijo:

–Comprendo. Usted no desea parecer remilgado. No sería muy gatuno.

–Todo lo contrario. No me preocupan en absoluto las apariencias en estas cosas. Sólo pensaba que merecerías ser despachado por alguien, como lo diría yo..., que te conociese –dijo el señor Maxwell, y se bebió todo el vino de un solo trago–. He comido muchos ratones vivos. ¡Cuándo era joven, comí docenas! Pero es que ahora no me parece...

–Sé que ahora debería callarme –susurró el ratón–. Pero ¿me permite sugerirle que se vende los ojos con la servilleta? Le será mucho más fácil.

El señor Maxwell alzó otra vez el cuchillo y el tenedor e intentó clavarlos de nuevo.

–¡No! ¡Es que no puedo!

–¡Debe hacerlo! –insistió el ratón–. Usted es un gato y yo soy un ratón. Ciertas cosas no pueden cambiarse. Por favor, intente vendarse los ojos.

–Quizá es que me estoy haciendo mayor –dijo el señor Maxwell mientras se ataba la servilleta alrededor de los ojos–. Mi propia muerte ya no parece tan lejana como antes...

El señor Maxwell movía la cola nerviosamente hacia delante y hacia atrás.

–Puede hacerlo –dijo el ratón mientras se inclinaba por el borde de la mesa y agarraba con sumo cuidado la cola del señor Maxwell–. Sé que puede hacerlo.

Las garras del señor Maxwell temblaban tanto que el cuchillo y el tenedor empezaron a repiquetear entre sí.

–Lo que debe hacer es sujetar fuerte el cuchillo –aleccionaba el ratón mientras guiaba la cola del señor Maxwell hacia el plato.

–Eso es. Ahora, a la de tres, clávelo con todas sus fuerzas.

–Muy bien –dijo el señor Maxwell con un profundo suspiro–. Sólo quiero decirte una cosa... Gracias. Muchas gracias. Has tenido mucha paciencia conmigo.

–No es necesario que me dé las gracias. Simplemente disfrute de su comida –dijo el ratón–. ¿Preparado? Venga, uno, dos...

–Lo siento, de veras que lo siento. No es nada personal, ¿entiendes? –dijo el señor Maxwell.

–Lo mismo digo –repuso el ratón, y gritó–: ¡TRES!

OOOOOOOAAA!

El aullido de dolor del señor Maxwell se escuchó tres edificios más allá en la empresa Tomás, Benítez y Gómez. El grito fue tan potente, que los clientes que estaban sentados cerca de su mesa cayeron de sus sillas del susto.

Claudio dejó caer una gran bandeja de langostas hervidas, el chef derramó una olla de aceite hirviendo y se declaró un incendio en la cocina.

Con el caos que se formó, nadie se dio cuenta de que el ratón del señor Maxwell corría veloz hacia la despensa y liberaba a los demás ratones.

Mientras los ratones huían en todas direcciones, llegó una ambulancia para llevarse al señor Maxwell al hospital, a urgencias.

Nunca pudieron volver a capturar al ratón del señor Maxwell. Los rumores que lo vinculaban a otras audaces huidas de ratones se extendieron por todas partes. Pero, hasta el momento, no se ha podido encontrar ninguna prueba de su paradero definitivo.

Sin embargo, un día, a altas horas de la noche, poco después del incidente en el restaurante, alguien deslizó por debajo de la puerta del hospital donde se encontraba el señor Maxwell una pequeña nota escrita a mano, en un papel suavemente perfumado con lavanda.

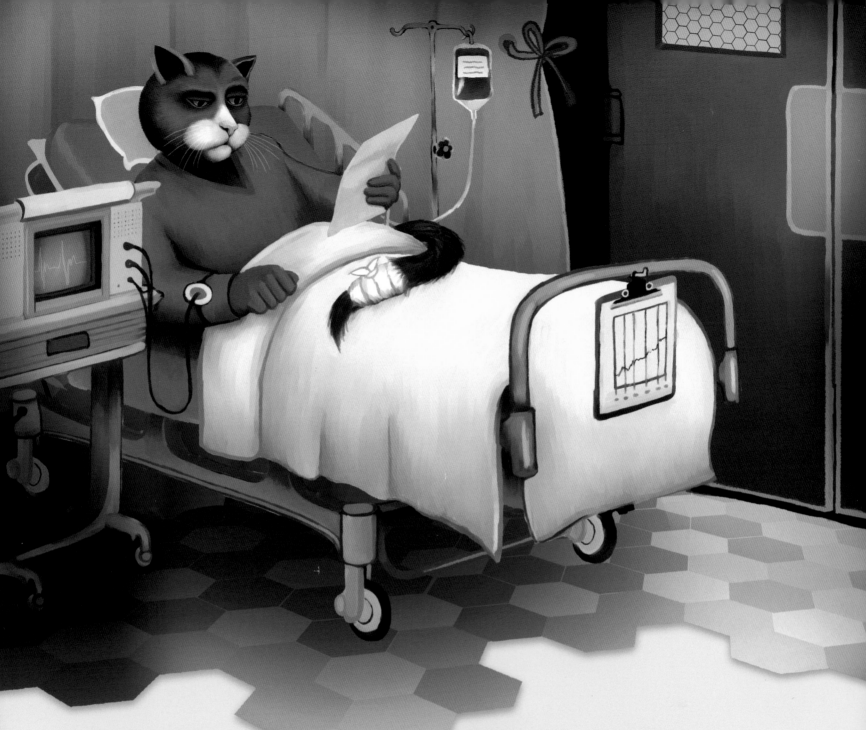

Apreciado Señor:

Le escribo estas líneas sólo para decirle que quiero que sepa que siento sinceramente cualquier disgusto que haya podido causarle. Estoy seguro de que usted habría tomado medidas parecidas si se hubiese encontrado en mi lugar. Mientras, espero que usted y su cola se encuentren bien y se recuperen pronto. Por supuesto, no le deseo ningún mal e imagino que usted sentirá lo mismo hacia mí.

Con mis deseos de que goce de una larga y próspera vida, se despide atentamente.

Su amigo de La Garra Afilada